D0785898

ÉLAGUÉ

LE MONSTRE
DE SAINT-PIERRE

8004-27
E-1

Données de catalogage avant publication (Canada)

Martin, Jean-Pierre, 1948-

    Le monstre de Saint-Pierre
    (Collection Plus)
    Pour les jeunes de 9 ans et plus.
    ISBN 2-89428-416-0
    I. Martin, Nelly. II. Titre.

PZ23.M371Mo 2000   j843'.914   C00-940413-9

L'éditeur a tenu à respecter les particularités linguistiques des auteurs qui viennent de toutes les régions de la francophonie. Cette variété constitue une grande richesse pour la collection.

Directrice de collection : **Françoise Ligier**
Maquette de la couverture : **Marie-France Leroux**
Mise en page : **Lucie Coulombe**

Les Éditions Hurtubise HMH bénéficient du soutien financier des institutions suivantes pour leurs activités d'édition :

– Gouvernement du Canada par l'entremise du Programme d'aide au développement de l'industrie de l'édition (PADIÉ) ;
– Société de développement des entreprises culturelles au Québec (SODEC).

© Copyright 2000
Éditions Hurtubise HMH ltée
1815, avenue De Lorimier
Montréal (Québec) H2K 3W6 CANADA
Téléphone : (514) 523-1523

ISBN 2-89428-416-0

Dépôt légal/1er trimestre 2000
Bibliothèque nationale du Québec
Bibliothèque nationale du Canada

DANGER

PHOTOCOPILLAGE TUE LE LIVRE

La *Loi sur le droit d'auteur* interdit la reproduction des œuvres sans autorisation des titulaires de droits. Or, la photocopie non autorisée – le « photocopillage » – s'est généralisée, provoquant une baisse des achats de livres, au point que la possibilité même pour les auteurs de créer des œuvres nouvelles et de les faire éditer par des professionnels est menacée. Nous rappelons donc que toute reproduction, partielle ou totale, par quelque procédé que ce soit, du présent ouvrage est interdite sans l'autorisation écrite de l'Éditeur.

Imprimé au Canada

LE MONSTRE DE SAINT-PIERRE

Nelly et Jean-Pierre Martin

Illustré par
Pierre Massé

BIBLIOTHEQUE VILLE DE SAINT-LAURENT

3 0010 00327 946 3

Collection Plus
dirigée par Françoise Ligier

Nelly et **Jean-Pierre MARTIN** vivent en Martinique : Jean-Pierre, médecin à Fort-de-France, et Nelly, juriste de formation, aiment les randonnées dans la nature, la photographie, l'ornithologie, mais ce qu'ils préfèrent c'est écrire des livres pour les enfants.

Après *Trafic de tortues* où Jean-Pierre nous fait découvrir Thibault, ils ont décidé d'écrire ensemble *Le Monstre de Saint-Pierre*, une nouvelle aventure de Thibault.

Pierre MASSÉ est peintre et dessinateur. Il a étudié en arts plastiques à l'Université du Québec à Montréal. Il a réalisé des portraits, des paysages pour des particuliers, mais aussi des fresques pour les églises. De son atelier, situé au cœur de Montréal, il crée pour la publicité, les magazines et l'édition des images chaleureuses. Dans la même collection, il a illustré *Rose la rebelle*, *Ma voisine, une sorcière* et *Trafic de tortue*.

1

Le naufrage

 **Thibaut regardait la mer des Caraïbes en furie. À ses côtés,** Mélissa, sa cousine, ne perdait pas une miette du spectacle de la nature déchaînée. La tempête, baptisée Cindy, serait d'après les météorologistes la dernière de la saison cyclonique.

Les deux enfants étaient désolés; ce mauvais temps gâchait leurs derniers jours de vacances. Dans une semaine, Thibaut rentrerait chez lui, à Schoelcher, une des villes les plus importantes de l'île de la

Martinique. Mélissa, comme lui, retrouverait ses camarades de classe. Elle habitait Saint-Pierre, une ville tristement célèbre pour avoir été rasée en 1902 par l'éruption de la montagne Pelée, qui avait tué près de trente mille personnes en quelques secondes.

1902

Les parents de Mélissa, Jules et Octavia, avaient invité leur neveu à passer la fin des vacances chez eux. Mélissa avait fait visiter à Thibaut les ruines de la ville et son musée consacré au volcan. Pour l'heure, le nez collé à la baie vitrée qui offrait une vue magnifique sur la rade de Saint-Pierre, les deux enfants étaient émerveillés par la tempête.

Le vent, qui soufflait en rafales furieuses, levait des panaches d'écume à la crête des vagues. Les flots roulaient et s'écrasaient avec force sur la plage de sable noir. Les pêcheurs, prudents, avaient tiré au sec leurs gommiers, ces bateaux aux couleurs vives avec lesquels ils allaient au large poser leurs casiers à langoustes.

— Thibaut ! Regarde ! s'écria Mélissa, le doigt tendu vers la mer. Papa, viens voir !

— Mais enfin, Mélissa, qu'est-ce qu'il y a ? demanda Thibaut, dont le regard allait de sa cousine à la mer.

— Tu ne vois pas ? Le voilier ! Là !

Jules, en short, torse nu, entra dans le salon. Il faisait chaud. La tempête n'arrivait pas à rafraîchir la moiteur tropicale, et le ventilateur qui tournait au plafond n'y changeait rien.

— Qu'est-ce que tu as à t'agiter comme ça, ma fille ? dit-il de sa belle voix grave.

Jules dirigeait la Compagnie de la Baie

de Saint-Pierre, et en pilotait le sous-marin miniature qui emmenait les touristes jusqu'à cent mètres de profondeur. Il ne se lassait pas d'expliquer à ses clients l'histoire des épaves des bateaux qui avaient été engloutis en quelques secondes lors de

l'éruption de 1902, lorsque la nuée ardente, après avoir balayé la ville, les avait frappés de plein fouet.

— Papa, regarde ce voilier, au large, il a l'air en difficulté !

Jules, imité par Thibaut, fronça ses sourcils broussailleux, et mit sa main en visière au-dessus de ses yeux.

— Ben dis donc ! s'exclama-t-il, tu as raison... Il a l'air mal en point !

— Mais... il va couler ! cria Thibaut.

Le voilier, long d'une douzaine de mètres, dansait comme un bouchon sur les flots, et disparaissait parfois en plongeant entre deux vagues. Ses voiles, déchirées, claquaient dans le vent.

Soudain, une fusée éclairante rouge monta dans le ciel, où elle éclata. Elle descendit lentement vers la mer grise, soutenue par son petit parachute.

— Une fusée de détresse! Il coule!

Jules s'élança vers le téléphone, et

appela les secours en mer. Au large, dans un canot pneumatique jaune, les occupants du voilier en perdition ramaient de toutes leurs forces en direction du rivage.

2

Le monstre de Saint-Pierre

 **Le lendemain, tout Saint-Pierre ne parlait que du naufrage du** *Valparaiso*, le voilier qu'avait aperçu Mélissa. Les occupants, des touristes anglais, avaient été recueillis à bord du puissant canot à moteur des Services de sauvetage en mer.

Sains et saufs, ils avaient raconté une histoire incroyable. Ils venaient de la Guadeloupe. La tempête les avait surpris dans le canal de la Dominique, à quelques milles de la Martinique. Leurs voiles

avaient été rapidement déchirées par la force des vents. Ils avaient alors lancé le moteur diesel et ils fonçaient vers Saint-Pierre lorsqu'un choc d'une violence inouïe les avait presque fait passer par-dessus bord.

L'eau s'était engouffrée en bouillonnant dans la cabine, à travers un énorme trou ouvert dans la coque. Ils n'avaient dû leur salut qu'à leur canot pneumatique et à la rapidité des secours.

Sur le port, près du marché, les habitants de Saint-Pierre y allaient tous de leurs hypothèses pour expliquer le naufrage. La tempête s'était éloignée, et les pêcheurs profitaient des derniers rayons du soleil de l'après-midi pour discuter du drame, assis sur les bancs, face à la mer. Thibaut et Mélissa étaient là, et écoutaient parler les adultes.

Soudain, venant de la plage, Arsène, un jeune pêcheur, déboula dans le groupe.

Il était terrorisé, et ses yeux semblaient vouloir sortir de leurs orbites.

— Holà, Arsène, qu'est-ce qui t'arrive ?

Tu as vu le diable ou quoi? lui dit Médard, un vieux pêcheur aux cheveux blancs.

— Je... Je... Là-bas... Un m... Un m...

— Un monument?

— Un mendiant?

— Un merle?

Chacun proposait un mot à Arsène que la peur faisait bégayer.

— Non! Un monstre! lâcha-t-il.

— Un monstre? reprirent en chœur toutes les personnes présentes.

Thibaut et Mélissa, intrigués, se faufilèrent entre les pêcheurs pour être aux premières loges et écouter le fantastique récit d'Arsène.

— Oui! Un monstre!

— Où ça? l'interrogea quelqu'un.

— Au large, au-dessus des épaves...

— Là où le voilier a coulé?

— Exactement au même endroit!

— Mais, dis-moi, Arsène! Tu l'as vu, toi, ce monstre?

Arsène était au centre d'un cercle de gens incrédules qui le questionnaient à tour de rôle. Tous se demandaient si Arsène n'avait pas bu un punch de trop !

— Laissez-moi vous raconter...

Le silence se fit.

— J'étais en train de remonter un casier à langoustes, en tirant sur la corde accrochée au flotteur. J'étais penché et je surveillais l'eau, qui était trouble, à cause de la tempête. Et soudain...

— Qu'est-ce que tu as vu? le coupa quelqu'un.

— Chut! crièrent tous les autres.

— Deux yeux! Deux gros yeux jaunes! Je les ai vus comme je vous vois.

— Mais alors, il y a un monstre dans nos eaux!

— Pour sûr qu'il y a un monstre dans la baie! Foi d'Arsène, c'est la vérité!

3

Le *Mobilis*

Thibaut et Mélissa s'étaient empressés de répéter le récit d'Arsène à Jules, qui avait éclaté de rire en entendant parler du monstre. Jules était un marin expérimenté, qui avait fait plusieurs fois le tour du monde à bord d'un énorme cargo.

— Un monstre! Un monstre! Celle-là, c'est la meilleure de l'année!

— Mais papa, puisqu'Arsène l'a vu! dit Mélissa.

— Et le monstre avait même deux gros yeux jaunes! précisa Thibaut.

— Eh bien, mes enfants... Il n'y a qu'une seule façon de savoir si ce monstre existe et se cache dans les épaves... c'est d'aller voir !

Les deux enfants le regardèrent bouche bée, ne sachant s'il plaisantait ou non.

— Alors ? Vous venez avec moi ?

Jules tournait déjà les talons et se dirigeait vers la porte de la maison.

— On arrive !

Jules, accompagné de sa fille et de son neveu, se dirigea sans hésiter à travers les rues de Saint-Pierre vers le port, plus précisément vers l'embarcadère de la Compagnie de la Baie de Saint-Pierre.

Thibaut, qui venait seulement de comprendre ce que Jules proposait de faire, demanda :

— Oncle Jules, tu veux dire qu'on va aller voir le monstre avec le sous-marin ?

— Tu as tout compris ! Avec le *Mobilis*, nous pourrons descendre jusqu'aux épaves et chercher ce monstre !

Tout en discutant, ils arrivèrent sur la jetée où était amarré le *Mobilis*. C'était un petit sous-marin de vingt mètres de long, jaune comme un citron, avec une série de hublots de chaque côté. La cabine de pilotage était à l'avant, dans une bulle vitrée. Derrière le siège du pilote, dix rangées de sièges accueillaient les passagers. Ils montèrent à bord.

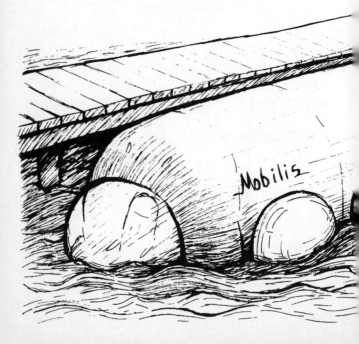

À l'intérieur, la lumière qui provenait de l'extérieur à travers les hublots, était curieusement bleutée. Jules verrouilla l'écoutille à l'aide d'un gros volant métallique, et alla s'asseoir à son poste. Les deux enfants étaient dans son dos, et épiaient le moindre de ses mouvements.

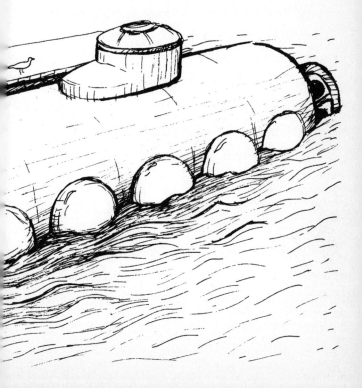

— Allons-y !

Jules appuya sur l'accélérateur et le *Mobilis* avança lentement, puis de plus en plus vite. Jules bascula un interrupteur, et les deux phares placés à l'avant de l'appareil s'allumèrent. Dans leurs faisceaux, des poissons multicolores passaient et repassaient. Puis Jules poussa la poignée de direction vers l'avant, et le *Mobilis* s'enfonça vers les profondeurs.

— Oncle Jules ! Regarde ! Cette masse sombre...

Thibaut pointait son index en avant.

— C'est le monstre ?

— Ah ! Ah ! Ah ! s'exclama Jules, en voilà un drôle de monstre !

— C'est quoi, papa ?

— C'est l'épave du *Teresa Lo Vigo* ! Ne t'inquiète pas.

Le *Mobilis* survola l'épave du grand navire disloqué, dont la coque et les superstructures étaient colonisées par des

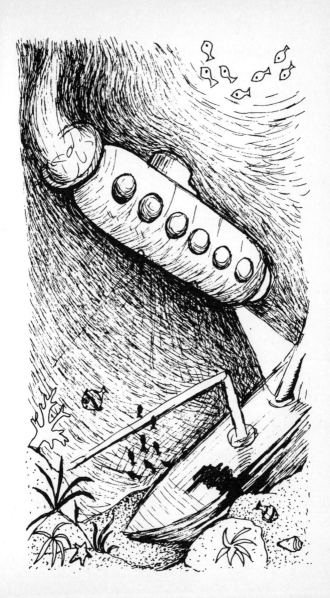

coraux blancs. Une multitude de poissons avaient élu domicile dans l'épave qu'ils sillonnaient en tous sens.

L'eau devint bleue, presque noire. Le plateau sablonneux situé à quarante mètres de la surface, laissa place à une falaise sous-marine qui plongea à la verticale vers les profondeurs de la mer des Caraïbes.

En quelques minutes, le *Mobilis* atteignit une seconde épave, celle du *Tamaya*, aux côtés de laquelle gisait le voilier perdu des touristes. Comparé au *Tamaya*, le *Valparaiso* semblait minuscule. Ses voiles déchirées ondulaient lentement dans les eaux sombres éclairées par les phares du *Mobilis*. Des poissons entraient et sortaient du voilier par les hublots.

— Regardez, fit Jules, ce n'est pas un monstre qui a coulé ce bateau !

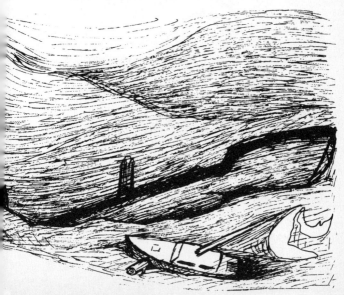

Les enfants virent effectivement un tronc d'arbre enfoncé dans la coque. Le *Valparaiso* n'avait pas été coulé par un monstre marin, seulement par un bois flottant arraché à la côte par la tempête.

— Peut-être, papa... mais alors, à qui appartiennent les deux gros yeux jaunes qu'Arsène a vus au fond de l'eau ?

Personne ne put lui répondre.

4

Le monstre attaque !

 **Le lendemain, Jules et Octavia partirent en voiture pour la journée,** et se rendirent à Fort-de-France. Ils ne rentreraient qu'en fin de journée, ayant des courses à faire et des amis à visiter.

Seuls, Mélissa et Thibaut, après avoir passé la journée à jouer à des jeux vidéo, décidèrent d'aller se promener sur le port. Le beau temps était revenu, et la mer était parfaitement calme en cette fin d'après-midi. Les gommiers des pêcheurs allaient

et venaient sur les eaux turquoise de la baie, laissant un sillage blanc derrière eux.

Les deux enfants s'assirent sur les rochers, face à la mer.

— Tu penses que le monstre existe? demanda Mélissa.

— Je ne sais pas... répondit Thibaut. Hier, nous n'avons rien vu, mais ça ne veut pas dire qu'il n'existe pas...

— Peut-être qu'il était caché, et qu'il nous a regardés passer!

Ils se turent, chacun dans ses pensées. Soudain, Thibaut se leva. Au large, les canots des pêcheurs convergeaient vers un autre gommier à bord duquel un homme faisait de grands gestes avec ses bras.

— Qu'est-ce qui se passe?

En moins d'une minute, cinq gommiers se retrouvèrent au-dessus du lieu du naufrage du *Valparaiso*. Les pêcheurs se penchaient par-dessus leurs embarcations, scrutant le fond de la mer. Puis, d'un seul

coup, ils se ruèrent vers l'arrière de leur canot, et lancèrent les moteurs.

— Mais... ils viennent droit par ici !

En effet, les gommiers aux coques multicolores fonçaient vers la côte. Le premier qui arriva, un canot baptisé *Dieu nous aime, Dieu nous garde* !, ne stoppa même pas et monta sur le sable, suivi de peu par les quatre autres. Thibaut et Mélissa, dont les cheveux lâchés scintillaient dans le soleil, coururent vers les pêcheurs.

— Qu'est-ce qui vous arrive ? lança Mélissa.

— Le monstre est là !

— Sacré nom ! jura Arsène, en sautant sur le sable noir de la plage, je vous l'avais dit !

— Tu avais raison !

— Et il a l'air sacrément gros ! Ses yeux étaient espacés d'au moins deux mètres ! Ils allaient dans tous les sens !

Les gens qui faisaient leurs courses au marché de la place Bertin, toute proche, s'avancèrent vers les pêcheurs surexcités et écoutèrent leur récit.

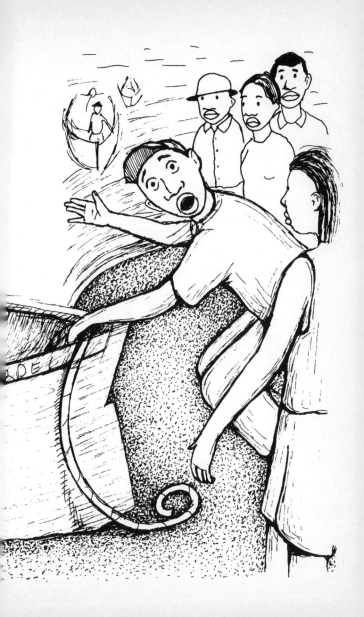

Mélissa attrapa Thibaut par le bras et le tira en arrière.

— Allons chercher papa, il doit être rentré, il faut aller voir avec le *Mobilis*!

Les deux enfants traversèrent Saint-Pierre en courant, sous le regard étonné des passants.

— Papa!

— Oncle Jules!

— Holà! Holà! gronda Jules, de sa grosse voix. Calmez-vous!

— Le monstre est dans la baie en ce moment...

— Les pêcheurs l'ont vu!

— Oncle Jules! Allons voir, avec le *Mobilis*!

Jules regardait les deux enfants qui piétinaient d'impatience devant lui. Il passa sa main sur son menton, signe d'intense réflexion chez lui, puis hocha la tête.

— Après tout, pourquoi pas!

Thibaut et Mélissa hurlèrent de joie et

sautèrent au cou de Jules, qui en fut tout ému.

— Soyez prudents, quand même, dit Octavia, qui regardait la scène, amusée.

Elle ne croyait pas plus au monstre que son époux, mais...

En moins de dix minutes, ils furent à bord du *Mobilis*. Le sous-marin, de toute la puissance de son moteur électrique, fila comme une torpille en direction des épaves. Dans le ciel, les premières étoiles commençaient à briller.

Parvenu à destination, Jules stoppa le *Mobilis* qui s'arrêta et resta à flotter entre deux eaux. Autour, tout était noir, inquiétant. Jules quitta le poste de pilotage et passa à l'arrière. Il fit le tour de la cabine des passagers, observant les fonds obscurs à travers chaque hublot.

— Rien de rien! fit-il. Pas le moindre monstre.

— Mais il devrait être là! ragea Thibaut. Les pêcheurs l'ont vu!

Mais tout restait sombre autour d'eux. Quelques bestioles minuscules émettaient par instant des éclairs lumineux, comme les lucioles le font, la nuit, en volant.

— Peut-être que les pêcheurs ont pris

ces lumières pour un monstre ! ricana Jules.

— Ça m'étonnerait, observa Thibaut.

Soudain, Mélissa se mit à hurler. Jules et Thibaut sursautèrent.

— Quoi ? demandèrent-ils en se ruant vers elle.

Jules prit sa fille dans ses bras et la serra fort contre lui, pour la rassurer. Mélissa, tremblante, incapable de parler, regardait fixement vers l'arrière du sous-marin. À travers le dernier hublot à bâbord, deux gros yeux jaunes les fixaient.

Le monstre était derrière le *Mobilis* !

5

Poursuite parmi les épaves

Jules poussa un juron, et Thibaut sentit ses jambes fléchir sous lui. Il s'assit sur l'un des sièges réservés aux passagers. Mélissa, toujours blottie dans les bras puissants de son père, se mit à pleurer.

— Papa ! Papa ! Je veux rentrer à la maison...

Jules la poussa sur un siège et, inquiet, mais ne voulant pas le montrer, s'installa aux commandes.

— Monstre ! À nous deux ! cria-t-il pour se donner du courage.

Il fit pivoter le sous-marin dans la direction où se trouvait le monstre. Lorsqu'il fut en position, il stoppa.

— Zut ! Il n'est plus là, dit Mélissa, qui avait rejoint Thibaut dans le poste de pilotage.

Jules alluma les puissants phares du *Mobilis*, mais il fallait se rendre à l'évidence, le monstre avait disparu. Seuls quelques petits poissons nageaient devant eux.

— Il est là !

— Non, là !

Thibaut et Mélissa se regardaient. Chacun montrait une direction différente, vers l'arrière du sous-marin. Thibaut à bâbord, Mélissa à tribord.

— C'est pas un monstre, c'est deux monstres !

— Et ils n'ont qu'un seul œil !

— Des cyclopes !

— Impossible, intervint Jules. Les cyclopes sont des créatures de légende qui vivent sur la terre, pas sous l'eau !

Une nouvelle fois, Jules fit pivoter le *Mobilis*. Cette fois, les deux monstres étaient bien visibles. Les deux yeux jaunes étaient séparés d'une trentaine de mètres, et se rapprochaient l'un de l'autre, lentement.

Jules accéléra et fonça droit sur celui de droite. Soudain, l'œil disparut. Jules rectifia sa trajectoire et tourna vers l'autre œil, plus à gauche. Comme précédemment, l'œil disparut. Jules éteignit les phares et stoppa le sous-marin.

— Où ils sont ?

— Je sais pas.

Tout le monde parlait à voix basse.

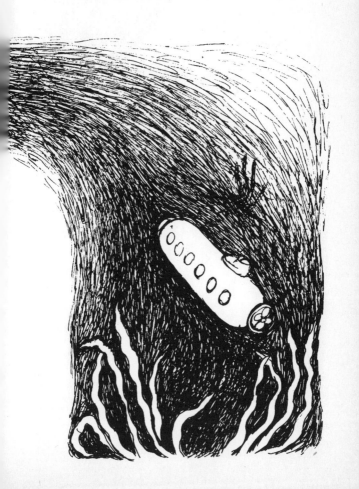

— Je vais essayer de prendre un cliché avec l'appareil sous-marin qui est fixé à l'avant du *Mobilis*, dit Jules à Thibaut. D'habitude, je m'en sers pour photographier les épaves pour les touristes. Quand les monstres réapparaîtront, je prendrai une photo et on filera. J'ai plus trop envie de traîner ici...

Le *Mobilis* avançait lentement. La masse sombre de l'épave du *Tamaya* était devant lui. Soudain, les deux gros yeux jaunes semblèrent fondre sur le poste de pilotage. Par réflexe, Jules et les deux enfants mirent leurs mains devant leurs yeux. Sans s'en rendre compte, Jules déclencha l'appareil photo, dont le flash illumina la mer et la cabine. Une seconde plus tard, le monstre avait disparu.

— Cette fois, on rentre, décida Jules.

Le *Mobilis* effectua un virage, et s'éloigna dans les eaux sombres en direction de Saint-Pierre.

6

La photo

 **Tous les pêcheurs entouraient Thibaut et Mélissa qui, accompa-**gnés de Jules et Octavia, sortaient de chez le photographe. La photo prise par Jules venait d'être développée. Tous attendaient avec impatience de voir le monstre.

— Alors, Jules, qu'est-ce que c'est ?

— Un requin ?

— Un calmar géant ?

— Un dinosaure ?

Pour seule réponse, Jules donna une tape sur l'épaule de Thibaut. Celui-ci, avec lenteur, sortit une photographie de la pochette en carton coloré qu'il tenait à la main. Il la tendit à Arsène, le pêcheur qui était le plus proche de lui, dont les yeux montrèrent une énorme surprise.

— Alors ? firent plusieurs voix inquiètes.

Arsène éclata soudain de rire, se tapant le ventre avec la main. Il passa la photo à son voisin qui, à son tour, fut pris d'un fou rire. Bientôt, tout le groupe riait aux éclats.

Sur la photo, deux petits poulpes tenaient chacun dans un tentacule, une lampe torche marquée au nom du *Valparaiso*. C'était leur lumière que tout le monde avait prise pour les yeux d'un monstre!

Non loin de là, par quarante mètres de fond, les deux poulpes s'amusaient avec les lampes trouvées dans la cabine du *Valparaiso*. Leurs ventouses, en se collant sur le manche des torches, allumaient et éteignaient la lumière. Puis, les deux lampes refusèrent de s'allumer, l'une après l'autre. Les piles étaient usées.

Le monstre de Saint-Pierre était vaincu.

Table des matières

LE PLUS DE
Plus

Réalisation :
Françoise Ligier

Une idée de
Jean-Bernard Jobin
et Alfred Ouellet

Avant la lecture

Sur la piste du monstre

Si tu cherches dans un dictionnaire pour en savoir plus sur le titre, tu vas découvrir que plusieurs lieux ou monuments portent le nom **Saint-Pierre**.

Voici cinq définitions. Après avoir lu le texte de présentation au dos du livre, choisis celle qui se rapporte au titre.

1. **Saint-Pierre.** Lac du Québec formé par un élargissement du fleuve Saint-Laurent entre Montréal et Trois-Rivières.
2. **Saint-Pierre.** Ville de l'île de la Martinique dans les Antilles françaises. En 1902, cette ville fut détruite par l'éruption d'un volcan.
3. **Saint-Pierre.** Ville de l'île volcanique de la Réunion. Ce département français est situé dans l'océan Indien.
4. **Saint-Pierre.** Célèbre église de la cité du Vatican à Rome en Italie. Ce monument est appelé basilique Saint-Pierre de Rome.
5. **Saint-Pierre.** Petite île de 26 km² située dans l'Atlantique Nord au large du Canada. Les îles Miquelon et l'île Saint-Pierre forment l'archipel de Saint-Pierre-et-Miquelon.

Que s'est-il passé le 8 mai 1902 ?

Vers huit heures du matin, le 8 mai 1902, une énorme explosion secoue la ville de Saint-Pierre et ses environs. Des éclairs zèbrent le ciel devenu subitement noir. Très rapidement, la ville est recouverte de blocs de pierre, de lave chauffée à 800 degrés et de cendre échappés du volcan voisin. Puis, le feu détruit ce qui a été épargné.

Une masse boueuse et brûlante atteint la mer, provoquant des vagues énormes qui engloutissent les navires du port de Saint-Pierre alors riche et prospère.

En quelques secondes, cette éruption entraîne la mort de 28 000 personnes.

Dans *Le Monstre de Saint-Pierre*, on dit que dans la baie de Saint-Pierre, le sable de la plage est noir. Pourquoi ?

1902

Au fil de la lecture

Jules

As-tu bien compris ?

1. Jules est le père de
   a. Thibaut
   b. Mélissa
   c. Octavia

2. Jules dirige
   a. les Services de sauvetage en mer
   b. le Syndicat des pêcheurs de langoustes
   c. la Compagnie de la Baie de Saint-Pierre

3. Jules a fait le tour du monde
   a. à bord d'un gommier
   b. à bord d'un cargo
   c. à bord d'un sous-marin

4. Jules et sa famille habitent
   a. Fort-de-France
   b. Schoelcher
   c. Saint-Pierre

5. Jules est un personnage
   a. coléreux
   b. triste
   c. jovial

6. Face à l'existence du monstre, Jules est
   a. totalement incrédule
   b. sceptique
   c. crédule

Plongée parmi les épaves de la baie de Saint-Pierre

Voici un plan des épaves qui sont réellement dans la baie de Saint-Pierre. Indique le nom des deux épaves dont on parle dans *Le Monstre de Saint-Pierre* :

a. *La Gabrielle*
b. Le *Dalhia*
c. Le *Diamant*
d. Le *Roraima*
e. Le *Teresa Lo Vigo*
f. Le *Raisinier*
g. Le *Tamaya*

Expressions en dominos

Le texte que tu as lu contient beaucoup d'expressions. Tu peux en retrouver quatre grâce à ce jeu de dominos.

Tu dois savoir que :
– le jeu commence par un blanc et se termine par un blanc;
– la première partie de l'expression est écrite alors que la fin de l'expression est représentée par un dessin.

1. Dans quel ordre faut-il placer les dominos pour retrouver les quatre expressions ?
2. Quelles sont les quatre expressions ?

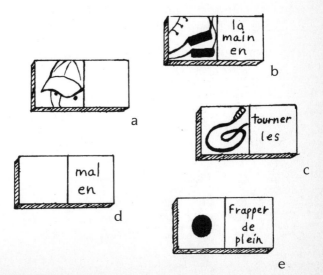

Charades

Mon premier a six faces et sert à jouer.

Pour trouver mon deuxième, tu conjugues le verbe nouer à la 3ᵉ personne du singulier.

Pour trouver mon troisième, tu conjugues le verbe mentir à la 3ᵉ personne du singulier.

Dans *Le Monstre de Saint-Pierre*, mon tout peut être qualifié d'heureux.

Mon premier est très utile pour communiquer.

Mon deuxième est la partie du mot bicentenaire ou du mot bimensuel qui signifie deux.

Mon troisième est une fleur symbole de la pureté et emblème de la royauté.

Sans mon tout, on n'aurait pas connu la vérité sur *Le Monstre de Saint-Pierre*.

Bizarre mais vrai

Le commandant Cousteau a placé un bocal en verre contenant une langouste sur le parcours d'un poulpe. Le poulpe a été assez intelligent pour comprendre qu'il fallait dévisser le couvercle et assez habile pour réussir à le faire avec deux de ses tentacules.

Le commandant Cousteau a raconté qu'il avait vu en Méditerranée des poulpes qui avaient construit leur « habitation » en récupérant de vieux pneus ou des amphores romaines. Il raconte même qu'un poulpe avait aligné devant l'entrée de son repaire une série de balles de fusil datant probablement de la Deuxième Guerre mondiale.

Selon toi, ces informations rendent-elles crédible ou vraisemblable la fin de l'histoire imaginée par Jean-Pierre et Nelly Martin ?

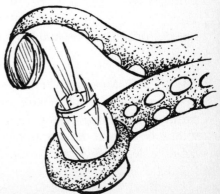

Après la lecture

À propos de monstres

La plus grosse créature aquatique
Le rorqual bleu ou baleine bleue est un mammifère marin dont le poids peut atteindre 120 tonnes. Son cœur pèse 600 kg, sa langue 3 tonnes. Il mesure de 22 à 33 mètres.

Vrai ou faux?
Le rorqual bleu pèse autant que 17 gros éléphants d'Afrique.

Le plus connu des monstres aquatiques
Depuis 1933, plusieurs personnes disent avoir vu un animal inconnu dans un lac d'Écosse appelé loch Ness. La bête, de dix mètres environ, a un long cou terminé par une petite tête. Son corps, souvent décrit comme massif, a trois bosses. Certains observateurs affirment avoir vu une longue queue. Plusieurs photos ont été prises de l'animal baptisé Nessie.

Vrai ou faux?
En 1975, le Muséum d'histoire naturelle de Londres déclare qu'aucune des photos ne prouve l'existence et encore moins l'identité d'un gros animal dans le loch Ness. À l'heure actuelle, le mystère entoure encore le monstre du loch Ness.

Le poulpe ou la pieuvre

La tête : entre le corps et les tentacules
Les ventouses : deux rangées sur chaque tentacule
Le corps : sac mou contenant tous les organes
Les tentacules : huit bras servant à attraper la nourriture et à orienter les déplacements
L'entonnoir : sorte de tuyau expulsant un liquide noir qui désoriente les poursuivants et moyen de locomotion à propulsion

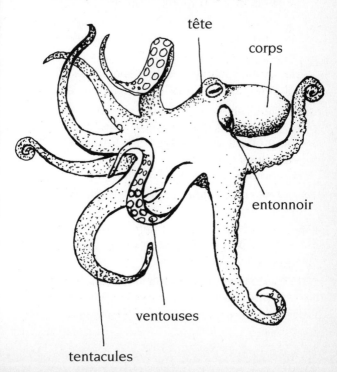

tête

corps

entonnoir

ventouses

tentacules

Drôle de bête!

Trouve les deux erreurs qui se sont glissées dans ces phrases.

1. Le poulpe est un mollusque comme les moules et les huîtres.
2. Le poulpe a un corps mou en forme de sac. Il n'a ni os, ni coquille, ni carapace.
3. Le poulpe a neuf tentacules munis de ventouses qui lui servent à se fixer aux rochers et à attraper sa nourriture.
4. Le poulpe a une bouche en forme de bec de perroquet. Cette bouche est située au centre des tentacules.
5. Le poulpe mange des poissons, des algues et des crustacés tels le crabe, la crevette ou la langouste.
6. Le poulpe a deux gros yeux qui lui permettent de distinguer les formes et certaines couleurs.
7. Le poulpe a un habit de camouflage. Il change de couleur selon son humeur ou le danger.
8. Le poulpe est aussi appelé pieuvre.
9. En Martinique, le poulpe est appelé *chatrou* ou *chatou*.
10. Le *chatrou* est fort apprécié. Les plus petits ont une chair tendre, mais les plus gros doivent être battus avant d'être cuits.

Louis Cyparis

À Saint-Pierre, lors de la catastrophe du 8 mai 1902 il y eut deux survivants : le cordonnier Compère et le prisonnier Louis Cyparis.

Le 7 mai, parce qu'il avait bu quelques punchs de trop et qu'il troublait l'ordre public, Louis Cyparis avait été arrêté et enfermé dans un cachot. Le 8 mai au matin, toute la prison fut détruite, mais l'homme fut sauvé grâce à l'orientation de sa toute petite cellule aux ouvertures minuscules.

Il passa le reste de sa vie dans un cirque où on le présentait comme un miraculé.

On peut actuellement encore voir le cachot de Louis Cyparis en parcourant les ruines de Saint-Pierre.

Le lait de poule, c'est délicieux et facile à préparer

Par un jour gris et triste ou alors au retour d'une longue journée à la plage, Octavia propose à Thibault et à Mélissa de préparer un lait de poule pour se refaire des forces.

Par personne il faut :
un jaune d'œuf,
une cuillerée de sucre,
un zeste de citron vert ou de lime,
un sachet de sucre vanillé ou une cuillerée à thé de vanille liquide,
une pincée de cannelle ou une pincée de noix de muscade,
un verre de lait chaud.

Mélanger avec une fourchette, un batteur ou un mélangeur électrique, le jaune d'œuf et le sucre. Ajouter le citron et la vanille. Verser délicatement le lait, puis mettre la cannelle ou la noix de muscade.

Boire ensuite lentement
avec une paille de préférence.

Solutions

Avant la lecture

Sur la piste du monstre
2

Que s'est-il passé le 8 mai 1902 ?
Le sable noir vient de la lave sortie du volcan.

Au fil de la lecture

Jules
1. b; 2. c; 3. b; 4. c; 5. c; 6. b.

Plongée parmi les épaves de la baie de Saint-Pierre
e. Le *Teresa Lo Vigo*; g. le *Tamaya*.

Expressions en dominos
d; e; c; b; a.
Mal en point; frapper de plein fouet; tourner les talons;
la main en visière.

Charades
dénouement
Mobilis

Après la lecture

À propos de monstres
vrai; vrai.

Drôle de bête !
3. le poulpe a huit tentacules; 5. le poulpe ne mange pas
d'algues.

Dans la même collection

- Niveau facile
- Niveau intermédiaire

* Texte également enregistré sur cassette.